*Ainsi va la vie*

# Max et
# de mie

Dominique de Saint Mars

Serge Bloch

CALLIGRAM

CHRISTIAN GALLIMARD

*Merci au docteur Guillaume Fond, psychiatre, coordinateur du réseau centre expert de la fondation FondaMental.*

Série dirigée par Dominique de Saint Mars


Imprimé en Italie
ISBN : 978-2-88480-755-5

Maman, Max vomit ! Il a pris double portion de frites saucisses... et moi, j'ai besoin de faire pipi !
Oh, mon pauvre loulou...
Et j'oubliais les trois barres chocolatées !
BEUUURK !

Que du gras et du sucre, évidemment !
Et du sel, des colorants, des conservateurs...

En ce moment, la maîtresse ne parle que de nutrition ! Elle dit qu'on peut s'abîmer la santé avec tout ce qu'on mange...
Enfin, avec tout ce qu'ON nous fait manger !
Pour que ça change, il faut faire de la vraie cuisine, mais ça prend du temps !
Nous non plus, on n'a pas le temps ! Autrement, on veut bien faire la cuisine...
Et même les courses !

Justement, il faut les faire, les courses !
Je peux venir ?

Non, une autre fois, vous avez du travail !
Ne prends que des bonnes choses ! Moi, je suis constipée, et Max fait des prouts dégoûtants !

Je vais t'acheter des légumes avec des fibres.

LE LENDEMAIN
Ça va mieux, Max ? Il paraît que tu as été malade ?
Oui, ça va... J'ai exagéré sur les frites et le chocolat !
Et les saucisses !

Même un ours aurait mal au cœur avec un tel régime !
C'est la pub qui nous fait trop envie !
Oui !

La nourriture est devenue une industrie, il faut en vendre le plus possible pour gagner de l'argent, pour que les usines marchent, et que les gens aient du travail !

Il faut retrouver le goût des choses simples... On appelle le ventre le deuxième cerveau, car le cerveau dépend de ce qu'on mange.

Mais le cerveau, il est loin du ventre !
Oui, mais il y a des cellules dans l'intestin qui influencent notre cerveau et nous rendent contents, stressés, agités, peureux, gentils... selon la nourriture qu'on mange et l'énergie qu'il y a dedans !

« Dans le ventre, il y a trois usines à digérer : l'estomac, le foie et l'intestin. Tout ce qui nourrit passe dans le sang. Tout ce qui est inutile passe dans les selles. »
Le caca, quoi !!!
Avec les prouts !!!
Et quand on exagère, surtout sur le gras, le foie proteste et on a mal au cœur, n'est-ce pas, Max ?!
Les bonbons, ça aide à digérer ?
Les sucreries sont digérées très rapidement et on a faim très vite...
Et on devient gros et on a encore faim !

Alors, il ne faut plus manger de chips, de gras, de sucre, de glace et de bonbons ! ...
Comment on va faire pour survivre ?!
C'est difficile de faire des efforts, des progrès... sans petites douceurs de temps en temps !
Les fabricants nous mettent des tentations sous le nez, alors nous, on craque !
Et on nous ment ! On nous dit qu'on sera forts comme des tigres ! Et le jambon bien rose, c'est du colorant !
Mais en fait, si on mangeait mieux, est-ce qu'on travaillerait mieux ? Ça mérite une réunion au hangar !

Si on ne doit plus manger tout ce qu'on aime, la vie va être un enfer ! Moi, je trouve que les frites et le gras du jambon, c'est trop bon !
Oui, mais c'est pas bon !

Et les brocolis, c'est pas bon, mais c'est bon !
Bon au goût et bon pour la santé, ça ne va jamais ensemble ! C'est l'horreur...

Moi, mes parents travaillent trop, on ne mange que des surgelés !
Moi, mon père, il dit que le vin, c'est un médicament, et hop, glouglou !
Moi, mon père, il dit qu'il y a des pesticides dangereux partout, même dans le vin !

Moi, ma mère, elle travaille dans une usine de biscuits où tout est vérifié ! Et si c'était mauvais, ça se saurait !
Elle ne va pas dire le contraire ! Sinon elle perd son travail !
Ma mère, elle dit que le sucre rend accro au sucre !

Donc, je résume... Plus de sel, plus de sucre, plus de gras, plus de couleurs et de goûts artificiels, plus de E machin, plus de E truc, mais qu'est-ce qu'on va manger ?
Mon père dit qu'il ne faut pas faire de régime, mais manger de tout et surtout du frais, comme les hommes préhistoriques !

Moi, j'ai un secret, mais surtout pour ceux qui aiment les légumes...
Beuurk !
Beuurk !

Alors vous trois, venez voir !

Aidez-moi avec les caisses, ça se passe de l'autre côté du mur...
Et tu sais ce que c'est, tous ces légumes ?
Moi, j'y connais rien...
J'ai de la visite, on dirait !
On est foutus !

Alors, vous n'aviez jamais vu un potager ?
Moi si, chez mon grand-père, mais moins beau que le vôtre !
Euh non, moi, seulement au supermarché !
Alors, là, ce sont les poireaux; là, les navets, les salades, les choux, les petits pois, les asperges, les aubergines et les pommes de terre; là-bas...
Dans quel arbre, les pommes de terre ?

Mais non, c'est là, tire sur cette tige, avec les feuilles et les fleurs blanches !
YES !

Dans ta pomme bio, y a un ver bio !
GASP !

* Pesticides : produits chimiques que l'on met sur les plantes pour tuer les insectes comme les pucerons, qui s'en nourrissent.

* Bonnes bactéries : ce sont des organismes vivants, appelés probiotiques.

Il est super, Guillaume, j'adore son potager !
On y retournera, on est copains maintenant !

Mais où étiez-vous ? On était inquiets !

On était chez Guillaume, il a un potager, derrière le hangar.
Et il n'utilise aucun produit chimique, regarde sa salade !
Ouuh ! Une limace
Ça veut dire que c'est sans pesticides !

Vous avez révisé vos leçons ?
Oui, oui. Aujourd'hui, c'est nous qui préparons le dîner. Et vous serez forcés de goûter à tout !
Ouaf !
Comme nous ! Même quand c'est pas très bon...
On a décidé de ne plus manger n'importe quoi ! La salade et les radis sont prêts ! Et je vais faire en plus...

Guillaume nous a dit qu'on pouvait manger de presque tout, mais qu'il fallait regarder ce qui est écrit en tout petit sur les emballages...
Même pour les croquettes !

Mais oh là là ! Passe-moi la loupe, Max... E... et E... Je n'arrive pas à tout lire, tellement c'est écrit petit... C'est exprès, vous croyez ?

Dis, papa, c'est beaucoup ou c'est peu, 4 % de fraise dans une crème glacée à la fraise ? Elle est tellement bonne, cette marque !
Ce n'est pas beaucoup, je crains... Et qu'est-ce qu'il y a d'autre, à la place de la fraise ?

Euh... émulsifiant, lait de soja, édulcorant, glucose, épaississant, lactose, colorant, arôme, eau, E machin, E truc, exhausteur de goût !
Bon, remets-la quand même au congélo, on verra plus tard...
Il faudrait que tout le monde s'y mette, et d'abord les industriels de la malbouffe !

Dans le doute, je propose pour ce soir : salade Guigui, une recette secrète... une laitue avec des graines, des noix, de l'échalote, de l'huile d'olive, du fromage de chèvre et du miel...
Et à côté, sardines à l'huile d'olive avec citron et pois chiches : zéro conservateur, zéro E truc ni machin...
Et demain soir, soupe de légumes, avec lentilles en plus !
Euh... Tous les jours, tu crois ?!

Mais on peut en mourir de ce qu'on achète dans les magasins ?
Non, mais à la longue, on peut se sentir fatigué, nerveux, ou avoir des problèmes de santé, de poids ou de sommeil...
C'est comme le sel, le sucre, le gras, on en a quand même besoin... mais un peu ! Malheureusement, il y en a beaucoup dans les plats préparés parce que ça donne bon goût !

Bon, maintenant, il faut dormir, bravo pour le dîner délicieux ! On va essayer de prendre de bonnes habitudes !
Faudrait que tout le monde s'y mette... Mais, on ne va pas se stresser si on n'est pas « parfaits parfaits », hein, Barbara ?
Parce que le stress, c'est pas bon non plus pour le ventre, et donc pour le cerveau !
Z
Ouf, un peu de calme !
Z
Ben moi, j'ai les crocs !

* Le fruit du tamarinier est cultivé dans les pays chauds. Riche en fibres, il est bon contre la constipation.

Moi, je me sens déjà mieux, pas toi ?
Bon, ça doit être psychologique ! Oh, regarde, le camion de viande devant la boucherie !
C'est dégoûtant, ces pauvres vaches qu'on a tuées ! Comment peut-on manger de la viande ? Comme si on mangeait Pluche... ou Pompon !
C'est bon, un steak ! Mais je veux juste être sûr qu'elles n'ont pas peur et qu'elles ne souffrent pas quand elles meurent !

La maîtresse va finir l'histoire de la nourriture... Je te raconterai...
Grouille, Max, ça commence !
Pardon, maîtresse, on regardait les demi-vaches à la boucherie, et Lili était tétanisée...
Tu es pardonné, je voulais justement vous parler de la viande. Aujourd'hui, on en mange plus qu'autrefois ! Et sûrement trop...

On veut nourrir plus de 7 milliards d'humains... Et chaque année, on doit tuer 150 milliards de vaches, poulets, cochons, etc.
Beuuuurk !!!
Et pour élever tous ces animaux, il faut des millions de tonnes de nourriture pas chère, comme le soja... plutôt que de la bonne herbe !
Et couper des forêts pour faire des champs de soja !
À vous de calculer... Si un bœuf mange 2 kilos de soja par jour, combien en mange-t-il en un mois, sachant qu'il n'en mange pas le dimanche ?
Et voilà, tout est bon pour nous faire travailler !

* Retrouve Lili dans *Lili veut protéger la nature.*

Et bravo, les poules en plein air !
Il faut manger des produits simples ! Et un poulet de temps en temps !

Vous tuez VOS poulets ? Vous ne les aimez pas ?
Si, mais quand j'en tue un, il ne se rend compte de rien et ne souffre pas une seconde !

Merci... et on vous aidera à désherber !
Normal, c'est du partage !
Tu es sûr que demain, les parents partent toute la journée ?
Oui !
Alors à demain ! Chut...

LE LENDEMAIN...
Jérôme, prends la bêche, là, dans le petit garage en bois !

Dépêchez-vous, les parents vont être là dans moins de deux heures, et il faut que ce soit fini !
Là, tu trouves que c'est droit, comme ça ?

Allez, allez ! Vous voulez que je vienne vous aider ?
Plus qu'une rangée, et c'est bon !
Tu peux ouvrir le robinet du tuyau ? Il faut arroser !
Je suis contente d'être rentrée ! Les enfants avaient l'air de nous préparer une surprise quand on les a quittés...
Sûrement une bonne surprise ! On a de la chance avec nos enfants, tu sais...

C'est le dîner !
Que du bio !
MON
GAZON !!!!!

Reste calme,
mon chéri !
Ça, ce sont
des tomates !
Et là, ce sont
des salades !

Pfff !
Papa, c'est toi qui dis tout le temps qu'il faudrait que tout le monde s'y mette !!

Oui, effectivement, c'est un choc, mais il faut le surmonter !
Bravo, papa, tu vas voir, on va avoir un super potager, presque comme chez Guillaume ! Ce sera bien plus intéressant que le gazon !
YES !

Faire le potager, ce sera notre sport, on sera en forme toute l'année ! Et pour les vacances, Guillaume viendra arroser !
Je voudrais bien le rencontrer, ce Guillaume !

Ah oui ? Mais pourquoi ?!

Pour le remercier, bien sûr !

# Et toi...

Est-ce qu'il t'est arrivé la même histoire qu'à Max et Lili ?
Réponds aux deux questionnaires...

Tu prends un bon petit-déjeuner pour ne pas avoir faim trop vite ? Tu fais du sport pour brûler les calories ?

Tu manges de tout ? Tu goûtes à tout ? Tu sais quand tu n'as plus faim ? et t'arrêter même si c'est bon ?

Tu manges bien à la cantine ? Tu participes aux menus ? Tu ne gaspilles pas la nourriture ?

Tu fais la différence entre bon au goût et bon pour la santé ? Quand c'est beurk, tu oses le dire ?

Tu te méfies de la pub ? Tu lis les étiquettes ? Tu connais la nature et le travail des agriculteurs ?

Tu fais les courses avec tes parents ? Tu crois qu'on peut acheter des aliments simples et moins chers ?

## Si tu ne fais pas attention à ce que tu manges...

Tu t'en fiches de savoir si c'est bon pour la santé ?
Tu sais ce dont tu as besoin ? Tu suis ton instinct ?

Tu es trop gros ? Tu dors mal ? Tu es agité ?
Tu as des allergies ? Ça peut venir de la nourriture ?

Tu es prêt à manger n'importe quoi quand tu as faim ?
Autrement tu te mets en colère ?

Tu manges trop ou pas assez quand tu es stressé ?
quand on ne comprend pas tes tristesses ?

Tu es sensible à la souffrance des animaux,
mais tu aimes trop manger de la viande ?

Tu trouves que ce n'est pas grave d'être gourmand ?
Tu feras attention plus tard, quand tu seras grand ?

**Après avoir réfléchi
à ces questions sur la nutrition,
tu peux en parler
avec tes parents ou tes amis.**

## Petits conseils Max et Lili pour bien se nourrir

- Mange lentement pour bien mâcher !
- Évite les sodas sucrés et les sodas « zéro » avec du faux sucre !
- Du bon pain (sans additifs) et du chocolat noir pour le goûter, c'est simple !
- Noix, amandes, graines, c'est riche en protéines comme la viande !
- Fais du sport pour brûler les calories !
- Sauce au jus de citron et beurre fondu pour les poissons et les légumes cuits à la vapeur, c'est délicieux !
- Prends un yaourt nature avec du sirop d'érable, du miel ou de la confiture.
- Les légumes, c'est riche en sels minéraux, en vitamines et en fibres !
- Cornichons, vinaigre de cidre, persil, curcuma, ça donne du goût partout !
- Choisis des légumes ou des fruits qui ne sont pas cultivés à l'autre bout de la Terre !
- Ne goûte pas trop, pour avoir faim le soir pour les légumes !
- Fais de l'exercice, ça oxygène le cerveau et ça rend heureux !
- Les oranges pressées à la main, c'est plein de vitamines !
- Les pommes de terre avec un filet d'huile d'olive ou avec de la crème fraîche et de la ciboulette, c'est top !

# Dans la même collection

1. Lili ne veut pas se coucher
2. Max n'aime pas lire
3. Max est timide
4. Lili se dispute avec son frère
5. Les parents de Zoé divorcent
6. Max n'aime pas l'école
7. Lili est amoureuse
8. Max est fou de jeux vidéo
9. Lili découvre sa Mamie
10. Max va à l'hôpital
11. Lili n'aime que les frites
12. Max raconte des « bobards »
13. Max part en classe verte
14. Lili est fâchée avec sa copine
15. Max a triché
16. Lili a été suivie
17. Max et Lili ont peur
18. Max et Lili ont volé des bonbons
19. Grand-père est mort
20. Lili est désordre
21. Max a la passion du foot
22. Lili veut choisir ses habits
23. Lili veut protéger la nature
24. Max et Koffi sont copains
25. Lili veut un petit chat
26. Les parents de Max et Lili se disputent
27. Nina a été adoptée
28. Max est jaloux
29. Max est maladroit
30. Lili veut de l'argent de poche
31. Max veut se faire des amis
32. Émilie a déménagé
33. Lili ne veut plus aller à la piscine
34. Max se bagarre
35. Max et Lili se sont perdus
36. Jérémy est maltraité
37. Lili se trouve moche
38. Max est racketté
39. Max n'aime pas perdre
40. Max a une amoureuse
41. Lili est malpolie
42. Max et Lili veulent des câlins
43. Le père de Max et Lili est au chôma
44. Alex est handicapé
45. Max est casse-cou
46. Lili regarde trop la télé
47. Max est dans la lune
48. Lili se fait toujours gronder
49. Max adore jouer
50. Max et Lili veulent tout savoir sur les bébés
51. Lucien n'a pas de copains
52. Lili a peur des contrôles
53. Max et Lili veulent tout tout de suit
54. Max embête les filles
55. Lili va chez la psy
56. Max ne veut pas se laver
57. Lili trouve sa maîtresse méchante
58. Max et Lili sont malades
59. Max fait pipi au lit
60. Lili fait des cauchemars
61. Le cousin de Max et Lili se drogue
62. Max et Lili ne font pas leurs devoirs
63. Max va à la pêche avec son père
64. Marlène grignote tout le temps
65. Lili veut être une star
66. La copine de Lili a une maladie grav
67. Max se fait insulter à la récré
68. La maison de Max et Lili a été cambriolée
69. Lili veut faire une boum
70. Max n'en fait qu'à sa tête
71. Le chien de Max et Lili est mort